Preface

The Marmottan Monet museum, situated between the Ranelagh garden and the Boulogne wood, was originally the site for the start of hunts, belonging to Christophe Edmond Kellermann, the duke of Valmy.

Bought in 1882 by Jules Marmottan, it was turned into a hotel by his son Paul the following year. A collector and historian, the latter concerned with his research in to the period of the 'Consulate' and of the 'Empire'. In 1910, he expanded the building to show his collections of paintings, furniture, and bronze works of art from the Napoleonic era. On his death, he instructed that the Beaux-Arts academy should receive his belongings, including his hotel, in order to use it as a museum. It could never have been expected at the time, that this museum, devoted to the 'Empire', would become, over the years, one of the most highly-regarded impressionist museums in the world.

In 1957, Lady Victorine Donop de Monchy, only daughter of the doctor Georges de Bellio, decided to donate the entirety of her collection, which she inherited from her father, to the Marmottan museum. Her father, a homeopathic doctor of Roman origin, accounted for the paintings of Manet, Monet, Pissarro, Sisley and Renoir. The purchase of his first Monet in 1874 marked the beginning of a long friendship between himself and the 'Master of Giverny'. His collection contained, amongst others, the famous painting 'Impression, soleil levant' (Impression, rising sun)

It was perhaps, the example of the first donation that inspired Michael Monet, second son of the painter, to donate the property of Giverny to the Beaux-Arts academy, and the works of art he inherited from his father to the Marmottan museum, thus meaning that the museum had the biggest collection of Monet's works in the world. Inspired mainly by Monet's garden in Giverny, the academy and the museum announced 'les Grandes Décorations' (big designs) of the 'Orangerie'museum.

To show off their works of art, the architect Jacques Carlu, at the time curator of the museum, built an underground room. In 1987, the collection created by Henri Duhem and his wife, Mary Sergeant, perfectly fitted out the room. A painter, and comrade-in-arms of post-impressionist artists, Henri Duhem was also, like Gustave Caillebotte, a passionate collector. He succeeded in forming a very wide-ranging collection, comprising paintings and pastels by Boudin, Carrière, Corot, Gauguin, Guillaumin, Monet, Renoir, Lebourg and Le Sidaner.

Amongst the museum's collections, is the extraordinary collection of illuminations gathered by Georges Wildenstein and donated by his son Daniel. This donation comprised 228 french, italian, german, english and flemish works of art.

Since its inception in 1934, the Marmottan Monet museum has not ceased to add to its amazing collection, thanks to donations and legacies, for example that of Annie Rouart has recently been added. The foundation, which uses her name as well as that of her husband Denis, has but one goal; To emphasise the major works of art by Berthe Morisot, Henri Rouart (Annie's grandparents), Edouard Manet, Edgar Degas and Auguste Renoir.

PRÉFACE

Par Arnaud d'Hauterives, secrétaire perpétuel de l'académie des Beaux-Arts.

Le Musée Marmottan Monet, situé entre le jardin du Ranelagh et le bois de Boulogne, était à l'origine un pavillon de chasse appartenant à Christophe Edmond Kellermann, duc de Valmy.

Acquis en 1882 par Jules Marmottan, il est transformé l'année suivante par son fils Paul en hôtel particulier. Collectionneur et historien, ce dernier consacre ses recherches à la période du Consulat et de l'Empire. En 1910, il agrandit sa demeure pour y exposer ses collections de peintures, de meubles et de bronzes de l'époque napoléonienne. À sa mort, il lègue à l'académie des Beaux-Arts la totalité de ses collections et son hôtel pour en faire un musée. Rien ne laissait alors prévoir que ce musée, consacré à l'Empire, allait devenir au fil des années un des hauts lieux de l'impressionnisme.

En 1957, madame Victorine Donop de Monchy, fille unique du docteur Georges de Bellio, décide de donner au musée Marmottan la totalité de la collection héritée de son père. Ce dernier, médecin homéopathe d'origine roumaine, comptait, parmi ses patients, les peintres Manet, Monet, Pissarro, Sisley et Renoir. L'achat de son premier Monet en 1874 marqua le début d'une longue amitié avec le maître de Giverny. Sa collection renfermera, entre autres, le fameux tableau *Impression, soleil levant*.

C'est peut-être l'exemple de cette première donation qui incita Michel Monet, second fils du peintre, à léguer à l'académie des Beaux-Arts la propriété de Giverny et, au musée Marmottan, les œuvres héritées de son père, dotant ainsi le musée de la plus importante collection au monde de peintures de Claude Monet. Inspirées pour la plupart de son jardin de Giverny, elles annoncent *les Grandes Décorations* du musée de l'Orangerie.

Pour présenter ces œuvres, l'architecte Jacques Carlu, alors conservateur du musée, construit une salle souterraine. En 1987, la collection formée par Henri Duhem et sa femme, Mary Sergeant, est venue admirablement compléter les deux autres legs. Peintre et compagnon d'armes des postimpressionnistes, Henri Duhem fut aussi, comme Gustave Caillebotte, un collectionneur passionné. Il réussit à former un ensemble très représentatif comprenant des peintures et des pastels de Boudin, Carrière, Corot, Gauguin, Guillaumin, Monet, Renoir, Lebourg et Le Sidaner.

Parmi les collections du musée, figure aussi l'extraordinaire ensemble d'enluminures rassemblées par Georges Wildenstein et données par son fils Daniel. Cette donation comprend deux cent vingt-huit œuvres françaises, italiennes, allemandes, anglaises et flamandes.

Le Musée Marmottan Monet, depuis sa création en 1934, n'a cessé de s'enrichir grâce aux donations et aux legs, aux rangs desquels vient s'ajouter aujourd'hui celui d'Annie Rouart. La fondation, qui porte son nom et celui de son mari Denis Rouart, petit-fils de Berthe Morisot et d'Henri Rouart, a pour but de mettre en valeur les œuvres majeures de Berthe Morisot, Édouard Manet, Edgar Degas, Auguste Renoir et Henri Rouart.

Ci-dessus et à gauche (détail) : Claude Monet, *Le bassin aux Nymphéas*, 1917-1919, huile sur toile, 130 x 120 cm.

Page 2-3 et 75 : Claude Monet en compagnie du duc de Trévise, dans son second atelier à Giverny, 1920. © Roger-Viollet.

Couverture : Claude Monet, *Nymphéas*, 1916-1919, huile sur toile (détail). 150 x 197 cm.

De gauche à droite :
école française,
Jean Bourdichon
(vers 1475-1521),
le Baiser de Judas,
miniature
sur parchemin,
20 x 13,5 cm.

Ecole du sud
de la France
(ou Catalane),
la Crucifixion, vers
1215, miniature sur
parchemin provenant
d'un psautier,
16,7 x 11,8 cm.

La collection d'enluminures

par Caroline Lesage

«Si vous voulez apprendre et aimer l'art, allez voir les grands maîtres, aussi souvent que vous le pourrez. Quand vous parviendrez à les sentir, les toucher avec votre esprit, tournez et retournez leurs couleurs dans votre bouche, alors vous commencerez à comprendre». Georges Wildenstein (1892-1963), un des plus célèbres marchands de tableaux de notre siècle, exprimait ainsi, avec gourmandise, sa passion de l'art. Très jeune, il fréquente les galeries d'art et les grands musées européens, entraîné par son père, Nathan Wildenstein, lui-même marchand des Gulbenkian, Rothschild, David-Weill… Pour ses quatorze ans, il reçoit deux enluminures provenant d'un manuscrit du XVe siècle et quatre ans plus tard, en 1910, il achète chez Maggs, grand libraire de Londres une *Crucifixion* du XIIIe siècle. C'est le début d'une collection que «Monsieur Georges», comme on l'appelait à Drouot, ne cessera d'enrichir pendant plus de 50 ans.

Au XVIIIe siècle, la plupart des miniatures, recherchées par les collectionneurs, avaient été arrachées à des psautiers, livres d'heures, missels, antiphonaires, etc. La collection Wildenstein, qui ne contient pas de recueils entiers, est représentative de cette grande période de découpage. En témoignent ici une page – entière toutefois – détachée des *Heures d'Etienne Chevalier*, dont le musée de Chantilly conserve de magnifiques fragments ou encore cette miniature de Jean Perréal, *l'Alchimie* (disparue en 1850 de la bibliothèque Sainte Geneviève). Georges Wildenstein a ainsi réuni, en s'entourant des conseils de Bernard Berenson ou de Charles Sterling, un ensemble exceptionnel de plus de 300 enluminures du Moyen-Age et de la Renaissance; les écoles italienne et française sont notamment très bien représentées.

En 1971, lors de son élection à l'Académie des beaux-arts, son fils, Daniel Wildenstein, offrit cette collection à l'Institut de France et, en 1980, présida à son installation au musée Marmottan en respectant l'accrochage établi par son père dans son bureau de la rue de la Boétie.

De gauche à droite :
Jean Fouquet (vers
1420-1477/81),
*Episode de la vie de
saint Vrain*, (exorcisant
à Notre-Dame
de Paris), miniature
sur parchemin
provenant des *Heures
d'Etienne Chevalier*,
22 x 14 cm.

Ecole française,
1491-1493,
*l'Amiral de Graville
chassant le sanglier*,
miniature sur
parchemin, page
provenant du *Terrier
de Marcoussis*
composé pour Louis
Malet, seigneur
de Graville et amiral
de France,
37,6 x 27 cm.

Jean Perréal (1455-
1530), *l'Alchimie*,
unique miniature
illustrant le poème
écrit en 1516
par Jean Perréal :
*la Complainte
de Nature à
l'alchimiste errant*,
18,1 x 13,4 cm.

Ces trois enluminures de l'école française illustrent des ouvrages manuscrits des XVᵉ et XVIᵉ siècles. Très en vogue au XVᵉ siècle, le Livre d'Heures, reccueil de textes pieux et de prières à réciter lors des heures canoniales de la journée, était destiné à toute famille aisée. Il pouvait être luxueusement orné comme cette page des *Heures d'Etienne Chevalier* où Jean Fouquet réalise une composition en perspective, qu'il fut le premier à introduire en France. Les «Terriers», en revanche, inventaire des propriétés d'un seigneur assorti de la liste des redevances dues par les habitants, sont des livres réservés à la noblesse. Témoignages précieux de la vie dans un domaine, ils expriment souvent le goût naturaliste du XVᵉ siècle, dont cette *Chasse au sanglier* est un exemple. Enfin, *l'Alchimie*, miniature peinte par Jean Perréal évoque la leçon donnée par la Nature (femme nue ailée et couronnée) à l'alchimiste qui incarne l'humanisme de la Renaissance : la pierre philosophale doit être *opus nature* et non *opus mecanice.*

ECOLE ITALIENNE

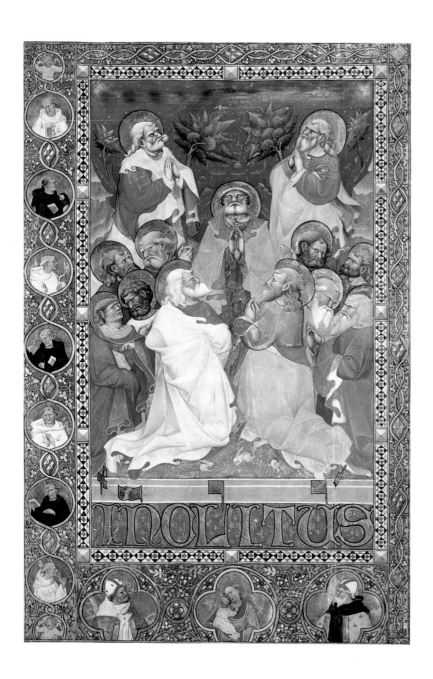

De gauche à droite :
Lucchino di
Giovanni Belbello
da Pavia (actif
vers 1430-1462),
Lombardie, *la
Mission des apôtres*,
miniature sur
parchemin,
54 x 36,5 cm.

Girolamo di
Giovanni dei Corradi
da Cremona (actif
entre 1451 et 1483),
Lombardie, *Baptême
de Constantin*, 1451,
miniature sur
parchemin provenant
d'un antiphonaire,
56 x 43 cm.

En Italie, aux XVᵉ et XVIᵉ
siècles, l'art de l'enluminure
emprunte ses formes au
nouveau vocabulaire
pictural de la Renaissance.
*La Mission des
apôtres* relève encore
essentiellement du
répertoire gothique et
byzantin; seuls
les lapins joueurs
échappent au statisme de
la composition. Avec *le
Baptême de Constantin*,
qui figure sur une page
extraite d'un
recueil de chant choral,
les rapports de proportion
entre les figures et
l'espace qui les contient
s'harmonisent et la
perspective s'ouvre sur
l'extérieur. La scène est

hautement symbolique car le baptême de l'empereur romain Constantin par le pape Sylvestre fit du christianisme une religion d'empire. La superbe lettrine, composée d'éléments d'architecture classique annonçe les bordures richement ornées de rinceaux, d'animaux, de *putti* et de motifs architecturaux ou sculpturaux caractéristiques de la Renaissance italienne. L'encadrement du *Songe de saint Romuald,* témoigne encore timidement de cette évolution.

Attavante (vers 1452 - vers 1525), Florence, *le Songe de saint Romuald,* vers 1502, miniature sur parchemin, 44 x 34 cm.

De gauche à droite :
mobilier Empire :
fauteuils
et chaise devant le   Portraits de Jules
bureau plat en   (1829-1883)
acajou de Pierre-   et Paul Marmottan
Antoine Bellangé.   (1856-1932).
Photo G. Fessy.   © Bibliothèque
                           Marmottan.

Jules et Paul Marmottan collectionneurs

C'est au cœur des jardins du Ranelagh, dans un triangle de verdure où flotte encore l'ambiance lunaire du quartier de la Muette, que s'élève le musée Marmottan. L'hôtel, dont les hautes fenêtres laissent deviner depuis la rue le scintillement des lustres, a conservé l'allure d'une demeure particulière dont les propriétaires sont honorés dès le seuil franchi : dans le hall d'entrée, le buste de Jules Marmottan fait face à celui de son fils Paul. Ce dernier protège de son égide une inscription dûment gravée dans le marbre : «Puisqu'on a bien voulu me dire que l'ensemble de mes collections mérite d'être conservé à perpétuité pour l'instruction de tous, je les donne et lègue ainsi que mon hôtel à l'Institut de France pour l'Académie des beaux-arts.» Ainsi naquit le musée, grâce à deux générations de collectionneurs aux tempéraments et aux visées complémentaires.

Originaire de Savoie, la famille Marmottan se fixe dans le nord de la France sous Louis XV. Est-ce avec Pierre Marmottan, né en 1780 d'un père pharmacien, que s'éveille dans cette dynastie le goût de l'art ? Dessinateur amateur, Pierre Marmottan fut deux fois lauréat de l'académie de Valenciennes en 1799 et 1805 mais, malgré ces encouragements, ne poursuivit pas ses études, préférant se consacrer à l'activité plus sage de banquier. Son fils Jules, né en 1829, recevra une éducation classique : après le collège de Valenciennes et la faculté de droit à Paris, il fait ses armes en 1859 chez l'agent de change Mahou, pour entrer un an plus tard comme principal associé de la nouvelle charge d'Edmond Dollfus. C'est en 1862 que se situe le tournant de sa carrière, lorsqu'il prend en main la direction de la société houillère de Bruay dans le Pas-de-Calais. La situation est alors périlleuse : la jeune compagnie, très endettée, vient d'essuyer un procès ruineux et un seul de ses puits est fertile. Jules Marmottan, non sans courage, met alors toutes ses ressources de travail et d'intelligence au service de sa mission : en quelques années, l'affaire se développe de façon spectaculaire. La commune, qui passe de 700 à 6000 habitants en vingt ans, peut honorer son bienfaiteur, maire de Bruay à partir de 1870 : écoles, chemins vicinaux, établissements de bains, caisses de secours et service médical pour les ouvriers

voient le jour sous son impulsion. Figure exemplaire de ces financiers de la révolution industrielle dont l'avis est souvent sollicité, Jules Marmottan demeurera maire de Bruay après 1879, date à laquelle il est nommé trésorier payeur général de la Gironde par le gouvernement. Sa carrière comprend également les postes d'administrateur de nombreuses sociétés dont celles des chemins de fer de Lille à Béthune, des mines de houilles de Ferfay (Pas-de-Calais), de la Compagnie immobilière de Paris et de la Compagnie générale transatlantique. Concerné au premier plan par le bon acheminement du charbon, il fut en outre le

L'HÔTEL MARMOTTAN

C'est en 1882, soit un an avant sa mort, que Jules Marmottan se porta acquéreur d'un hôtel situé devant les jardins du Ranelagh : cette enclave de verdure, jadis célèbre pour son bal payant créé en 1774 «à l'instar de celui de lord Ranelagh à Londres» où Marie-Antoinette ne dédaigna pas venir danser, était déjà réputé pour son calme et sa tranquillité. L'hôtel, acheté aux héritiers de François Kellermann – maréchal de France fait duc de Valmy en 1808 en souvenir de sa célèbre victoire – fut agrandi. Paul y installa son bureau-bibliothèque dans un décor néoclassique cher à son goût pour l'Empire et aménagea salons et galeries du futur musée dans un esprit très XIXe où, comme à Chantilly par exemple, meubles, objets et tableaux se serrent et se confrontent.

De gauche à droite
et de haut en bas :
Paul Marmottan dans
son bureau en 1911.
© Bibliothèque
Marmottan.

Vue d'ensemble
de la galerie
au début du siècle.
© Bibliothèque
Marmottan.

L'hôtel Marmottan
avant la construction
des ailes latérales.
© Archives
du musée Marmottan.

Le musée Marmottan
aujourd'hui
vu depuis le jardin.

De gauche à droite
et de haut en bas :
Adrienne-Marie-
Louise Grandpierre-
Deverzy (active entre
1822 et 1855),
l'Atelier d'Abel
de Pujol, 1822,
huile sur toile,
96 x 129 cm.

Etienne Bouhot
(1780-1862),
la Cour de l'Institut
de France, non daté,
huile sur toile,
38 x 46 cm.

Louis-Philibert
Debucourt (1755-
1832), Vue de l'arc
de triomphe de
l'Etoile et du bouquet
du feu d'artifice,
1810, eau forte
et aquarelle,
26 x 37 cm.

18

véritable promoteur du canal du Nord entre Lens et Paris.

A sa mort, en 1883, il laisse donc son fils Paul à la tête d'une fortune considérable, d'un hôtel particulier situé au Ranelagh acheté en 1882 aux héritiers de Kellerman, et d'une importante collection d'œuvres d'art. Car durant toutes ces années, Jules exerça discrètement son œil de connaisseur chez les antiquaires – principalement Antoine Brasseur, marchand et restaurateur lillois établi à Cologne de 1847 à 1887 – pour accumuler un ensemble composé essentiellement de primitifs allemands, flamands et italiens. Le mobilier Haute Epoque, les sculptures sur bois du XVe siècle, les tapisseries de la Renaissance témoignent également d'un goût en accord avec l'austérité du personnage.

Bien différent sera son fils, malgré sa toute paternelle «passion de l'ordre et son sens de la grandeur». Né en 1856, Paul fait ses études au Collège de Juilly où il obtient – réminiscence grand-paternelle cette fois – le premier prix de dessin en 1867. A dix-huit ans, ce sont les voyages qui l'attirent avant tout : l'Italie bien sûr, mais aussi l'Egypte où il va marcher sur les pas d'Auguste Mariette, «l'éminent antiquaire». A vingt-et-un ans il publie son premier recueil de poésies, *les Primevères*, tandis que sont remarquées ses collaborations régulières au *Bulletin administratif, commercial, artistique et littéraire du XVIe arrondissement* dit aussi *Paris-Passy*. Pourtant, sous la pression de son père, Paul achève sa licence de droit et entre à contre-cœur comme conseiller de préfecture à Evreux en 1882. Il avoue alors se sentir «bien plus porté vers les goûts délicats de l'artiste, du collectionneur et de l'homme de lettres que vers les régions troublées de la politique ou celles, trop étroites, du fonctionnarisme.» Il ne subira guère longtemps cette contrariété puisqu'à la mort de son père, un an plus tard, il reprend sa liberté et se consacre alors tout entier à sa passion : voyager – en Belgique, en Hollande, sur les bords du Rhin, en Pologne, en Espagne, en Suisse... – et travailler à ses recherches artistiques et historiques.

S'il fallait mettre en relief un seul mérite de Paul Marmottan, ce serait bien celui de s'être intéressé à la période napoléonienne à une époque où il était de bon ton de l'ignorer, voire de la mépriser. Les pérégrinations européennes de cet honnête homme vont ainsi lui permettre d'accumuler une documentation considérable sur le sujet, documentation qui viendra nourrir ses innombrables ouvrages consacrés à l'Empire : *le Général Fromentin et l'armée du Nord, le Royaume d'Etrurie, Bonaparte et la république de Lucques, les Troupes de Joseph Napoléon en Espagne, Elisa Bonaparte, les Arts en Toscane sous Napoléon, le style Empire…* Au fil du temps, l'art sous l'Empire et le Paris du Consulat (citons encore ses études sur *les Statues de Paris* et *le Pont d'Iéna*) n'ont plus de secrets pour lui. L'immense bibliothèque qu'il a constitué nécessite même un lieu propre : sa maison de Boulogne, achetée en 1921, abritera les

Ci-dessus, de
gauche à droite et
de haut en bas :
tasses et sous-tasses
Empire, *Femme
donnant à boire à
un soldat* et *Vénus et
l'Amour*, non datés.

Petit salon rond
donnant sur le
jardin avec, à
gauche, la pendule
géographique
commandée
par Napoléon Ier.
Photo G. Fessy.

LE GOÛT EMPIRE

C'est sous l'impulsion de Brongniart, nommé à la tête de la manufacture de Sèvres en 1800, que la production de porcelaine française, alors en pleine déliquescence, trouva un second souffle. Paul Marmottan, sensible aux modèles de Dagoty en particulier, rassembla un bel ensemble de tasses à motifs inspirés de l'antique; mais l'objet le plus étonnant reste sans conteste cette «pendule géographique» conçue en 1813 à la gloire de Napoléon Ier, modifiée sous la Restauration et acquise par Louis XVIII qui en fit don à la duchesse de Berry : la tête de Napoléon fut remplacée par les profils d'Apollon et de Diane; et aux «douze sujets de l'histoire de l'Empereur» prévus sur le bouclier de porcelaine fut préférée la représentation de différents fuseaux horaires.

Ci-dessus,
de haut en bas :
Dagoty, tasse et
sous-tasse Empire à
décor mythologique,
1804, porcelaine,
manufacture
de l'Impératrice.

Détail du cadran
de la pendule
géographique,
1813-1821,
douze médaillons
peints en miniature
sur porcelaine
représentent midi en
diverses parties du
monde, manufacture
de Sèvres,
2,28 m de haut.

milliers de volumes consacrés à la période 1799-1814. Fait rare chez les grands érudits, il est difficile de distinguer chez Paul Marmottan l'historien du collectionneur. «Je suis venu à l'histoire napoléonienne par le chemin de l'art» précise-t-il lui-même. Contrairement à son père, il ne se confie pas à un seul marchand et préfère, ainsi qu'il l'indique dans son livre sur *l'Ecole française de peinture (1780-1840)*, chiner avec malice : «Quand on a, par suite de son goût personnel et d'études consciencieuses sur les écoles anciennes acquis un jugement artistique, il n'est pas nécessaire de fréquenter les grandes ventes publiques (…) Il se rencontre parfois encore des tableaux de l'école française d'avant 1830 dans certaines petites ventes après décès, et chez certains marchands de curiosités (qui sont en général fort ignorants). Un peu d'habileté suffit pour acheter en ce cas, à bas prix, un tableau ayant de la valeur. »

Hector Lefuel, ami personnel de Paul Marmottan et premier conservateur du musée, évoque, dans l'introduction au premier catalogue des collections, la fierté de Paul Marmottan qui «aimait à rappeler l'origine d'un grand nombre de ses œuvres d'art, exécutées pour Napoléon ou la famille impériale. Jusqu'à la fin, il visait à en acquérir, à «sauver» – comme il le disait – les témoignages d'un passé dont il avait la nostalgie et le respect. »

Cette passion le conduit souvent à sélectionner ces œuvres pour leur intérêt historique seul, comme en témoignent nombre de vues anonymes (*Une rue de Paris au XIXe siècle*, *les Ecuries du duc d'Angoulême*, *la Villa de Pline sur le lac de Côme*, etc.) ou pour leur curiosité esthétique, telle l'étonnante pendule-vase à aigle dont on retrouve un modèle similaire dans les collections de la reine d'Angleterre. Les grands noms (Boilly, Kinson, Lefebvre, Bartolini, Prud'hon, Robert) figurent également dans cet ensemble unique que Paul Marmottan, mort sans enfant en 1932, décida de léguer à l'Institut de France, inspiré peut-être par le geste de Nelly Jacquemart-André vingt ans plus tôt. Si la bibliothèque de Boulogne et le musée qui portent désormais son nom lui ont assuré la postérité, on sait moins qu'il laissa également des sommes considérables à la Malmaison et au musée de l'Armée, sans oublier Versailles, Carnavalet, Sèvres, le musée du Costume, le musée des Arts décoratifs, ainsi que de nombreux autres musées de France. Les quinze millions laissés à l'Assistance publique achèveront de consacrer ce grand érudit comme un vrai philanthrope. **Laure Murat**

De gauche à droite :
Auguste Renoir
(1841-1919),
Claude Monet lisant,
1872,
huile sur toile,
61 × 50 cm.

Claude Monet
(1840-1926), *Sur la*
plage à Trouville,
1870-1871,
huile sur toile,
38 × 46 cm.

The Impressionist Collection

The donations transformed the Marmottan museum, devoted to the napoleonic memory, in to a haven of impressionism.

Three legacies to the 'Beaux-Arts' academy marked out this metamorphisis: Those of Victorine Donop de Monchy (daughter of the doctor de Bellio) in 1957, of Michel Monet (son of the artist) in 1966, and of Nelly Sergeant Duhem (adopted daughter of the painter) in 1985.

Only a very small part of the collection of doctor Georges de Bellio entered the doors of the Marmottan museum, but he did donate the incomparably brilliant 'Impression, soleil levant', a painting which epitomises impressionism. "Every time that one of us needed money fast" recalled Renoir "he would run to the Riche café, in which you would be sure to find Mr de Bellio" Arriving France during the Second Empire, this Roman aristocrat practiced medicine only for the benefit of his friends, and had a great passion for collecting works of art. One of his relatives, Georges Bibesco, for whom Renoir worked in 1869, possibly awakened his interest in controversial paintings of the time. From Monet in 1874 to Gaugin in 1891, his purchses retraced the evolution of inpressionism, and the legacies left showed the same pattern. The donation of Michel Monet contained a discontinued itinerary of the life of his father: Portraits (his first wife, their 2 children), friends' works of art (Jongkind, Renoir, Caillebotte...), gifts and purchases, paintings of trips (Riviera, Norway, Holland). The major studies carried out in the Giverny garden is the crowning achievement. They illustrate the creation in its purest state, at the magical moment where the impression splits in to 2 parts: Expressionism? Abstract?

The collection of Henri Duhem and his wife Marie started, along with Boudin, to finish in the poetic intimacy of their friend Le Sidaner. The virulent impressionism of Guillaumin, and the more subtle impressionism of Lebourg co-exists with the symbolic influences of Carrière. An admirable still-life by Gaugin stands out from the collection. This particular painting, through its exoticism, provides the museum with a fascinating display.

La collection impressionniste

par Sophie Monneret

Les donations ont transformé le musée Marmottan, voué au souvenir napoléonien, en sanctuaire de l'impressionnisme. Trois legs à l'Académie des beaux-arts jalonnent cette métamorphose : ceux de Victorine Donop de Monchy (fille du docteur de Bellio) en 1957, de Michel Monet (fils de l'artiste) en 1966, et de Nelly Sergeant Duhem (fille adoptive du peintre Duhem) en 1985.

La collection du docteur Georges de Bellio n'est entrée que très partiellement au musée Marmottan, mais l'a doté d'un incomparable éclat, celui d'*Impression, soleil levant,* tableau éponyme de l'impressionnisme. «Toutes les fois que l'un de nous avait un besoin urgent d'argent, rappellera Renoir, il courait au café Riche, sûr d'y trouver M. Bellio». Arrivé en France sous le Second Empire, cet aristocrate roumain pratiquait la médecine au seul bénéfice de ses amis et collectionnait avec une généreuse passion. Un de ses parents, Georges Bibesco, pour lequel Renoir travaillait en 1869, a peut-être éveillé son intérêt pour la peinture

controversée de son temps. De Monet en 1874 à Gauguin en 1891, ses achats retracent l'évolution de l'impressionnisme, et les tableaux légués en représentent l'essence même. La donation de Michel Monet compose un itinéraire discontinu à travers la vie de son père : portraits (sa première femme, ses deux fils), œuvres d'amis (Jongkind, Renoir, Caillebotte…), offertes ou bien acquises, évocations de voyage (Riviera, Norvège, Hollande). Les grandes études exécutées dans le jardin de Giverny couronnent le tout. Elles illustrent la création à l'état pur, au moment magique où l'impression se dédouble : expressionnisme ? abstraction ?

La collection d'Henri Duhem et de sa femme Marie débute avec Boudin pour finir dans l'intimisme poétique de leur ami Le Sidaner. L'impressionnisme virulent de Guillaumin et discret de Lebourg y côtoient la mouvance symboliste de Carrière. Une admirable nature morte de Gauguin domine l'ensemble. Elle pose sur le musée l'étonnant point d'orgue de son exotisme.

Raillé, encensé, et même
volé, ce célébrissime
tableau n'a jamais cessé
de fasciner. Apparu à
l'exposition collective
organisée en 1874 chez
Nadar par Monet et ses
amis, il donne à partir de
cette date son nom à
leur style. Monet, prié par
le responsable du
catalogue (Edmond Renoir)
de donner un titre à sa
toile, lance «Impression»,
le jeune Renoir précise
«soleil levant». Autour
de ce titre le très satirique
Charivari bâtira une
joyeuse charge, baptisant
l'impressionnisme. La
toile (peut-être antidatée
par Monet), montre
l'ancien avant-port du
Havre vu depuis l'hôtel de
l'Amirauté. Synthèse
des aquarelles de Turner
et de Jongkind, des
estampes japonaises et
des lavis chinois vus à
Londres ou en Hollande
par Monet, elle est d'une
incroyable modernité.
Achetée dès mai 1874 par
Ernest Hoschedé,
elle est devenue, lors de
sa vente judiciaire
en 1878, la propriété du
docteur de Bellio.

À LA CAMPAGNE

De haut en bas et
de gauche à droite :
Claude Monet,
*Champ d'iris jaunes
à Giverny*, 1887,
huile sur toile,
45 × 100 cm.

Claude Monet,
la Barque, 1887,
huile sur toile,
146 × 133 cm.

Claude Monet,
*Promenade près
d'Argenteuil*, 1873,
huile sur toile,
60 × 81 cm.

Les champs en fleurs,
thème si cher à
Monet, illustrent
dans cette *Promenade*
l'impressionnisme
triomphant, tout en
notations atmosphériques
et vibrations des touches.
Quatorze ans plus tard,
les étendues d'iris
sauvages deviennent de
pures recherches
chromatiques. Leur
divisionnisme
mauve et jaune prouve
que le peintre
s'inquiète du récent néo-
impressionnisme.
L'angoisse d'un nécessaire
renouvellement
apparaît dans le tableau
de la barque lunaire qui
flotte au gré d'un
courant alourdi d'herbes
serpentines. Reprenant
ce projet en 1890,
Monet confie à Geffroy
qu'il tente là «des choses
impossibles. C'est
de l'eau avec de l'herbe
qui ondule sur
le fond. C'est à rendre
fou de vouloir faire ça.»

TRAINS ET GARES

Tous les phénomènes immatériels, bourrasque de neige, volutes de fumée, fascinent Monet. *Le Train dans la neige* montre, à deux pas de sa seconde maison d'Argenteuil, ce train qu'il emprunte par tous les temps. *Le Pont de l'Europe* appartient à la série consacrée à la gare parisienne dans laquelle se croisent les monstres ferroviaires que décrira Zola. Huit toiles figurent à la troisième exposition impressionniste où le docteur de Bellio acquiert cette version. Les portraits d'homme sont rares chez Monet.

Claude Monet, le
*Train dans la neige.
La locomotive,*
1875,
huile sur toile,
59 x 78 cm.

Tous les bleus
de l'océan concourent
à celui de François
Hippolyte Guillaume, dit
Poly. Avec ce pêcheur
de Kervilahouen que lui
avait présenté John
Russell, peintre australien
résidant à Belle-Isle,
Monet a découvert en
1886 les aspects les plus
sauvages des côtes.
L'artiste a plusieurs
fois exposé cette superbe
effigie mais ne
s'en est jamais séparé.

De haut en bas :
Claude Monet,
Portrait de Poly,
1886,
huile sur toile,
74 x 53 cm.

Claude Monet,
le Pont de l'Europe.
Gare Saint-Lazare,
1877,
huile sur toile,
64 x 81 cm.

Claude Monet,
*Cathédrale de
Rouen. Effets de
soleil. Fin de
journée*, 1892,
huile sur toile,
100 x 65 cm.

LA CATHÉDRALE DE ROUEN

Exécutées en mars-avril 1892 et 1893 dans des locaux situés face au monument puis terminées à Giverny, et aujourd'hui dispersées, les 28 *Cathédrale de Rouen* représentent une expérience totalement novatrice : mise en page caractérisée par l'horreur du vide, matière picturale traitée comme un mortier. Cet ambitieux projet, «Travail colossal [...] Enormes difficultés», hante les rêves de Monet : «La cathédrale me tombait dessus, elle semblait ou bleue, ou rose, ou jaune». Ici le contraste ombre-soleil sur les portails et la tour Albane exprime les effets dissolvants de la lumière dans toute leur pluralité. Pissarro, Renoir et Cézanne commentent admirativement ce tour de force que Clémenceau glorifie avec *la Révolution des cathédrales*. Monet donne une antithèse à ce face à face avec la pierre, dans les vues inachevées de la Seine à Port-Villez, lisse miroir sous un brouillard arachnéen.

De haut en bas :
Claude Monet,
*la Seine
à Port-Villez.
Effet du soir*, 1894,
huile sur toile,
52 x 92 cm.

Claude Monet,
*la Seine
à Port-Villez.
Effet rose*, 1894,
huile sur toile,
52 x 92 cm.

LES BROUILLARDS DE LONDRES

Claude Monet,
*Londres. Le Parlement.
Reflets sur la Tamise,*
1899-1901,
huile sur toile,
81 x 92 cm.

Pendant la guerre de 1870, Monet, réfugié à Londres et presque inconnu, représente le palais de Westminster, siège du Parlement, vu de Victoria Embankment. Trente ans plus tard, riche et célèbre, il se pose en rival de Turner et de Whistler pour évoquer les brouillards de la Tamise en une centaine de toiles et trois thèmes (*Parlement, Pont de Waterloo et Pont de Charing Cross*). Vu de Saint-Thomas Hospital, le Parlement offre d'extraordinaires contre-jours. Entre le ciel mauve et le clapotis frangé d'or du fleuve, des verticales effilées, outremer rayé d'émeraude, se dresse la forme abstraite d'un monument fantôme, moderne comme les villes de Rimbaud. C'est depuis une chambre de l'hôtel Savoy qu'apparaissent les *Waterloo Bridge*. Certains pastels dévoilent la conception abréviative des esquisses préparatoires où quelques traits suffisent pour mettre en place les arches, les ombres et les remous de l'eau.

NYMPHÉAS

Les *Nymphéas* de Marmottan représentent quelques-unes des innombrables variations exécutées par Monet sur ce thème pendant le dernier tiers de sa vie. Excédé par les artistes qui envahissent Giverny pour peindre à sa manière ses paysages favoris, il enferme dans un espace clos son propre univers plastique. Deux mondes parallèles le composent, le jardin floral et le jardin d'eau. La demande adressée en 1893 au préfet pour la création d'un bassin dans les prairies de l'Epte, en-deçà de la voie ferrée, précise

Claude Monet,
Nymphéas,
1914-1917,
huile sur toile,
130 x 150 cm.

qu'il s'agit de «plaisir des yeux» mais aussi «d'un but de motifs à peindre». Les Expositions universelles de 1878 et 1889 ont fait connaître les jardins japonais, et l'exposition japonaise organisée par Bing en 1886 a sensibilisé les artistes au thème floral unique (*les Tournesols* de Van Gogh, les hortensias des poèmes de Montesquiou en résultent) et surtout à la végétation des eaux dormantes. «Ne pourrais-tu aller étudier quelque plante aquatique ?», propose Pissarro à son fils Georges. La fleur élue

Claude Monet, *Nymphéas. Effet du soir*, 1897-1898, huile sur toile, 73 x 100 cm.

par Monet est un motif de prédilection du *Modern Style*. Le nénuphar orne les vases de Gallé, les broches du bijoutier Vever, voisin du peintre en Vexin, et les candélabres fondus par les Raingo, bronziers d'art et frères d'Alice Monet. A propos des *Nymphéas*, qu'il exposera en 1900, le peintre envisage dès 1897 leur application au décor mural : «Juxtaposés, ils formeraient autour d'une pièce un horizon d'eau». C'est une réponse indirecte à son ami Mallarmé, auquel il aurait dû donner en 1887 un dessin pour *la Gloire* dans un recueil où figurait

Claude Monet,
Nymphéas, 1903,
huile sur toile,
73 x 92 cm.

De gauche à droite :
Claude Monet,
Nymphéas,
1916-1919,
huile sur toile,
200 x 180 cm.

Claude Monet,
*Nymphéas et
agapanthes*, 1914-
1917, huile sur toile,
à l'origine
200 x 130 cm,
état actuel
140 x 120 cm.

aussi *le Nénuphar blanc* :
«l'un de ces magiques
nénuphars clos tout à
coup enveloppant de leur
creuse blancheur un
rien fait de songes
intacts...» Le même sujet
apparaît en 1914 plus
fidèle encore à l'esprit
mallarméen. Eléments et
formes fusionnent,
les herbes s'ouvrent en
éventail, les grands
cumulus neigeux semblent
surgir de l'eau et la fleur
naître d'un nuage.
En 1909, Monet a exposé
la série très attendue des
Paysages d'eau.
L'agrandissement
du bassin par la dérivation
du Ru, bras communal
de l'Epte, a permis
de diversifier les espèces;

celles-ci composent des îles pareilles aux barges fleuries qui avaient étonné le peintre en Hollande. Les nymphéas semblent dériver sur l'ombre portée par les frênes, les saules et les peupliers. «Ces paysages d'eau et de reflets sont devenus une obsession», confie-t-il en 1908 à Gustave Geffroy. Une longue interruption va suivre, due aux soucis (inondations de 1910, cyclône de 1912 : «Il a saccagé ces saules dont j'étais si fier») et aux deuils (mort d' Alice en 1911, de Jean en janvier 1914). Le retour au jardin d'eau console et fascine à la fois. La

Claude Monet, *Nymphéas*, 1916-1919, huile sur toile, 150 x 197 cm.

végétation riveraine entre en scène avec ses agapanthes au bleu céruléen. Couleurs saturées, rameaux bouclés des saules, Monet n'ignore pas l'éclat des ballets russes. Entre des nymphéas roses et jaunes encadrés de branches légères «ondoie une blancheur animée au repos» qui semble surgir de l'*Après-midi d'un faune.* Un peu plus tard, la surface seule l'hypnotise à nouveau, vouée à ses dérives de formes circulaires en contradiction voulue avec Cézanne et le cubisme. Jusqu'à sa mort Monet interrogera son étang aux nymphéas pour les grandes décorations que, sous l'impulsion de Clémenceau, il destine à la France. Tel *le Jardin dans un grain de moutarde* du poète chinois Tchen Sin Yeou, il résume pour lui l'univers tout entier.

Claude Monet,
*le Bassin aux
nymphéas,* 1917-
1919, huile sur toile,
130 x 120 cm.

Claude Monet,
Nymphéas, 1916-
1919, huile sur toile,
130 x 152 cm.

LE PONT JAPONAIS

De gauche à droite :
Claude Monet,
le Pont japonais,
1918, huile sur toile,
100 x 200 cm.

Claude Monet,
Saule pleureur, 1918-
1919, huile sur toile,
100 x 120 cm.

La passerelle japonaise jetée sur l'étang est un thème récurrent chez Monet depuis 1895. Très figuratif au début, il devient de plus en plus irréaliste avec les années. Installé face à l'ouest devant cette arche ombragée de glycines, le vieil artiste en explore les variations horaires et saisonnières avec d'autant plus d'opiniâtreté que la cataracte redoutée depuis 1912 le menace. Les tons roux, verts et jaunes de cette version de 1918 sont traités avec les épaisseurs qu'avaient inaugurées les *Cathédrale,* dans la veine expressionniste caractéristique de la dernière manière du peintre. La série consacrée aux saules pleureurs sur la rive nord du bassin coïncide avec les années de guerre. En 1917 c'est la mort du fidèle Mirbeau, appui journalistique et conseiller en jardinage, et celle de Debussy, amoureux lui aussi des arbres aux branches glissantes comme la chevelure de

Mélisande. Les branches tissent un rideau de théâtre derrière le tronc à la cambrure féminine rosie par le soleil du matin. Lorsque Monet abandonne l'étang, c'est pour s'installer sous les tilleuls au nord-ouest de la maison. La façade couverte de roses et de clématites apparaît en biais au-delà du jardin aux roses sur cette toile exécutée quelques mois avant son opération de l'œil. Contrastes exacerbés, furieux enchevêtrements des rouges et des verts, la violence de la couleur annihile la notion d'espace.

Claude Monet,
le Pont japonais,
1918-1924,
huile sur toile,
89 x 100 cm.

Face à l'embrasement
du soleil couchant,
le pont japonais réduit à
sa double arcature relève
des mêmes impératifs.
Tout dans cette dernière
phase annonce les
expressionnistes abstraits
qui reconnaîtront
en Monet un véritable
précurseur.

Claude Monet,
*la Maison vue
du jardin aux roses,*
1922-1924,
huile sur toile,
81 × 93 cm.

GLYCINES, IRIS ET ROSES

Dans son jardin, où chaque plante s'insère dans un ensemble, Monet focalise sur certaines fleurs. Lorsqu'on lui propose d'installer les décorations de nymphéas à l'hôtel Biron, il pense à leur ajouter, en guise de frise, ces guirlandes de glycines mauves et blanches dont les rameaux ombragent le pont et festonnent son tablier. Quelques années plus tard, la vue redevenue normale après trois opérations de l'œil et des mois de distorsions colorées, il revient aux iris, autres fleurs emblématiques des années 1900. Son choix l'incline alors vers les variétés japonaises plantées autour de l'étang et qui en abolissent la

De haut en bas :
Claude Monet,
Iris jaunes et mauves,
1924-1925,
huile sur toile,
106 x 155 cm.

Claude Monet,
Glycines, 1919-
1920, huile sur toile,
100 x 300 cm.

structure sous leurs feuilles rubannées et leurs fleurs pareilles à des papillons. Des roses, il aime les formes simples, fidèles à l'églantine originelle. Longtemps délaissées par la mode, elles ont fait un retour éclatant. «J'ai passé tout l'été à travailler avec une joie nouvelle», indique en septembre 1925 une lettre au peintre Barbier. Cette allégresse anime l'arc de fleurs et de feuilles jeté à la manière d'une branche de cerisier par Hokusai ou d'amandier par Van Gogh. Comme les roses d'Elstir (inspiré à Proust par Monet), c'est «un portrait de roses à demi ressemblant», transposé avant d'apparaître sur la toile dans ce jardin intérieur où réside l'art de la création. De Clémenceau à Paul Valéry et Bérénice, héroïne d'un roman d'Aragon, tous les visiteurs s'émerveillent des massifs voués à des couleurs successives «comme si on repeignait le jardin».

Claude Monet,
les Roses,
1925-1926,
huile sur toile,
130 x 200 cm.

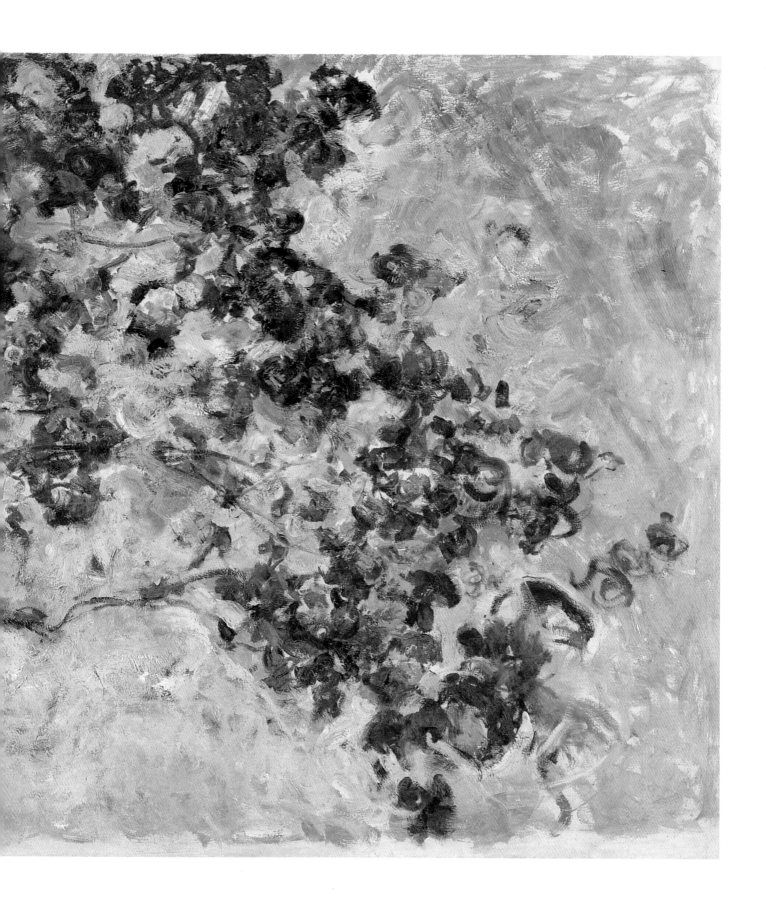

CAILLEBOTTE ET MORISOT

Ces tableaux donnés
par Caillebotte,
le plus réaliste des
impressionnistes,
à Monet et conservés
par celui-ci dans
sa chambre jusqu'à sa
mort, témoignent
d'une longue amitié.
Rue de Paris. Temps de pluie,
étude d'une extrême
sensibilité pour le tableau

du musée de Chicago,
représente le carrefour
des rues de Turin
et de Moscou près de
l'atelier de leur ami
Manet. *La leçon de piano*
s'apparente aux toiles
que peignent sur ce
sujet, dans des manières
différentes, Degas, Manet,
Renoir et Toulouse-
Lautrec. *Au bal*, l'un des
tableaux les plus
classiques de Berthe
Morisot, exposé
à la seconde Exposition
impressionniste,
a été acquis par le
Dr de Bellio. Un ami de
l'artiste, Puvis de
Chavannes, en a peut-être
conseillé l'achat
car il était intime de la
princesse Cantacuzène,
parente du
collectionneur roumain.

Berthe Morisot
(1841-1895),
Au bal,
1875, huile sur toile,
65 x 52 cm.

Au centre :
Gustave Caillebotte
(1848-1894),
*Rue de Paris.
Temps de pluie*,
1877, huile sur toile,
54 x 65 cm.

Gustave Caillebotte,
la Leçon de piano,
1881,
huile sur toile,
81 × 65 cm.

Paul Gauguin
(1848-1903),
Bouquet de fleurs,
1897,
huile sur toile,
73 x 93 cm.

GAUGUIN

Chef-d'œuvre de la collection Duhem, un Gauguin de Tahiti, si rare dans les musées français, illumine les murs de Marmottan. C'est une des toiles expédiées en février 1897 à Daniel de Monfreid, l'ami fidèle chargé de trouver des acquéreurs. *Contes barbares*, *Jours délicieux* et *le Rêve* faisaient aussi parti de cet envoi. Un conseil l'accompagnait : les ranger «pour le jour à espérer où on se décidera à me payer raisonnablement.» La nappe et les mangues dénotent l'attention portée par Gauguin à Cézanne et les transparences à droite son intérêt pour Redon. Mais dans cette coupe sculptée des mains de l'artiste, l'ensemble a la vigueur créatrice qui lui est propre. Tahiti lui a transmis ses «couleurs fabuleuses, son air embrasé mais tamisé, silencieux» pour créer ces fleurs aux confins du réel et de l'imaginaire.

COROT, SISLEY ET GUILLAUMIN

Jean-Baptiste-Camille
Corot (1796-1875),
*l'Etang de Ville-d'Avray
vu à travers
les feuillages*, 1871,
huile sur toile,
43 x 55 cm.

l'impressionnisme : la floraison éphémère des arbres fruitiers sous le ciel changeant de l'Ile-de-France. Monet, en séjour chez le poète Maurice Rollinat en 1888, s'était enthousiasmé pour la vallée de la Creuse. A partir de 1893, Guillaumin y vient chaque année. Le village de Crozant, le barrage de Genetin et les rutilants automnes auvergnats sont à l'origine de son glissement vers l'expressionnisme.

Corot annonce, Sisley incarne et Guillaumin clôt l'impressionnisme. Réfugié à Douai pendant la Commune, Corot a vendu ce tableau à l'oncle de Duhem. Avec une vue vaporeuse des étangs voisins de sa maison de campagne, il côtoie sur les murs de Marmottan ces impressionnistes qui l'ont toujours admiré et Berthe Morisot, son élève. Sisley, l'un des plus sensibles à l'influence de Corot, la joint ici à celle de Constable dans l'un des archétypes de

De haut en bas :
Alfred Sisley (1839-1899), *Printemps aux environs de Paris. Pommiers en fleurs*, 1879, huile sur toile, 45 x 61 cm.

Armand Guillaumin (1841-1927), *la Creuse à Genetin*, vers 1900, huile sur toile, 65 x 80 cm.

À LA MER

La mer et les plages occupent depuis le Second Empire une place prépondérante dans l'art. Boudin, initiateur de Monet aux techniques picturales, s'attachera toute sa vie aux fêtes visuelles données par le vent, les embruns, les voiles et les toilettes d'été devant Sainte-Adresse, Trouville, Honfleur. C'est là que Baudelaire s'émerveillait en 1859 de ses centaines d'études au pastel «croquées d'après ce qu'il y a de plus inconsistant et de plus insaisssable dans sa forme et dans sa couleur, d'après les vagues et les nuages». La génération post-impressionniste réagit aux mêmes spectacles. Mais la touche fragmentée de Le Sidaner les charge de mystère sous une apparente simplicité tandis que la définition linéaire et modulée de Lebasque, camarade de Bonnard et de Matisse, témoigne d'une vie de loisirs tranquilles.

RENOIR

De haut en bas et
de gauche à droite :
Edouard Manet
(1832-1883), *Tête
d'homme* (Claude
Monet), 1874, lavis
d'encre de Chine,
17 x 14 cm.

Auguste Renoir
(1841-1919),
*Jeune Fille assise
au chapeau blanc,*
1884, pastel,
62 x 47 cm.

Auguste Renoir,
*Portrait
de Mademoiselle
Victorine de Bellio,*
1892,
huile sur toile,
55 x 46 cm.

Auguste Renoir,
*Portrait de Madame
Claude Monet,*
1872,
huile sur toile,
61 x 50 cm.

Ces trois portraits de Renoir affichent leurs différences : élégance un peu compassée de la future donatrice, ennui impertinent de la petite poseuse professionnelle, tension intérieure de la belle Camille Monet. Le plus tardif, celui de Victorine de Bellio, amorce chez l'artiste un retour à la souplesse après le sévère épisode ingresque. Sa maîtrise du pastel éclate avec cette fillette rousse, illustration de son thème préféré : l'adolescence. Le portrait de Camille Doncieux, première épouse de Monet, peint à la grande époque d'Argenteuil, baigne dans ces ombres bleues si critiquées à l'époque. Le legs de Michel Monet, né quelques mois avant la mort de sa mère, redonne place à Camille auprès des peintres qu'elle a si souvent accueillis. Sa beauté les charmait, elle fascine aujourd'hui les visiteurs du musée Marmottan.

La Fondation
Denis et Annie Rouart

par Marianne Delafond et Caroline Genet-Bondeville

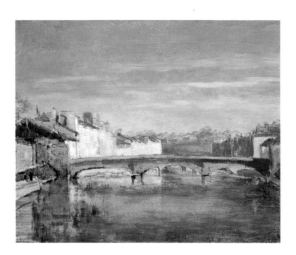

Petit-fils de Berthe Morisot, Denis Rouart épousa Anne-Marie Conan à qui le musée Marmottan doit cette collection de plus de quatre-vingts œuvres de Berthe Morisot, des toiles de Degas, Manet, Monet, Renoir, Rouart... Denis Rouart, conservateur du musée de Nancy, vécut comme sa mère, Julie Manet, dans le souvenir de l'artiste. Il participa avec son épouse à l'organisation des expositions de sa grand-mère et fut l'auteur d'ouvrages consacrés à son œuvre. Berthe Morisot, dès son plus jeune âge, se voue à la peinture. Conseillée par les meilleurs professeurs, comme Camille Corot qui lui fit découvrir la peinture en plein air, Berthe vivra courageusement sa passion en un temps où le monde des arts n'était encore que l'apanage des hommes. Epouse d'Eugène Manet, frère du peintre, elle mit au monde la petite Julie qui devint son modèle préféré. A la demande des Manet, Renoir fit un premier portrait de Julie à huit ans, un chat sur les genoux, dans le salon de leur maison. Quelques années plus tard, c'est portant le deuil de son père qu'il représentera la jeune fille vêtue d'une robe de velours noir.

Ses amitiés furent nombreuses dans le monde des arts : Puvis de Chavannes, Monet, Renoir, Degas. Elle entretint avec Mallarmé une abondante correspondance. Ses proches amis appartenaient pour la plupart au mouvement pictural qui naquit en 1874 lors de la première exposition impressionniste. Berthe Morisot participera à chaque exposition impressionniste (sauf en 1879, après la naissance de sa fille) et sera considérée par ses pairs comme une «camarade de lutte». L'amitié qui lia Berthe Morisot à Auguste Renoir datait de leur jeunesse. Participant au même combat au sein du groupe impressionniste, Renoir fut un compagnon assidu, partageant très souvent les dîners du jeudi organisés par Berthe Morisot et où se côtoyaient peintres, poètes, musiciens... Berthe Morisot aimait la peinture de Renoir. Elle note dans un carnet après avoir visité son atelier en 1886 : «En somme c'est un artiste de race, un raffiné, grand dessinateur, doublé d'un coloriste aux sensations les plus exquises...»

Le 2 mars 1895, Berthe Morisot s'éteint. Au début de l'année 1896, pour lui offrir la consécration qu'elle méritait, les «Intransigeants» organisèrent chez Durand-Ruel l'exposition la plus exhaustive de son œuvre. Stéphane Mallarmé préfaça le catalogue ; Degas, Monet et Renoir s'occupèrent de l'accrochage. La manifestation fut un succès et la critique élogieuse. Le journaliste, Thadée Natanson de *la Revue blanche* fit ce commentaire : «Pour tant qu'on se soit essayé jamais à définir l'aspect d'une œuvre ou quelqu'une de ses qualités avec des mots, on en perd cette fois toute envie. Il faut renoncer à leur confier le soin d'évoquer rien du charme et de l'enchantement de celle-ci ou même rien qui puisse vanter d'y correspondre. Leurs bouquets seraient ici décolorés et se fanent.»

A gauche :
Auguste Renoir,
Portrait de Julie Manet, 1894,
huile sur toile,
55 x 46 cm.

Ci-dessus :
Henri Rouart,
Paysage,
huile sur toile,
37 x 46 cm.

C'est au musée du Louvre,
en 1867, où Berthe Morisot
vient copier les grands
maîtres, que Fantin-Latour
lui présente le déjà très
célèbre peintre Edouard
Manet dont elle admire
le talent et le tempérament.
Dès 1868, Manet lui
demande de poser pour lui.
A dix reprises, il fixera
avec intensité sur la toile
la remarquable beauté
de Berthe Morisot, chaque
portrait nous faisant
entrevoir une facette différente
de la riche personnalité
du modèle où se mêlent
délicatesse et violence,
mélancolie et ardeur.
Manet n'a jamais représenté
Berthe Morisot le pinceau à
la main. Il lui fera, quelques
années plus tard, cadeau
d'un chevalet en témoignage
de la grande estime
qu'il porte à son œuvre.
Leur amitié est profonde,
et si Berthe Morisot
n'est pas l'élève de Manet
elle est très certainement
influencée par «cette part
de technique neuve»,
«cette nouvelle manière en
peinture» qui fait son génie.
Après la mort d'Edouard
Manet, Berthe Morisot
participe activement
à la rétrospective qui précéda
la vente des œuvres
du maître, que Manet avait
lui-même par testament
demandé à son ami Théodore
Duret d'organiser.

A gauche :
Edouard Manet,
*Portrait de Berthe
Morisot étendue*,
1873,
huile sur toile,
26 x 34 cm.

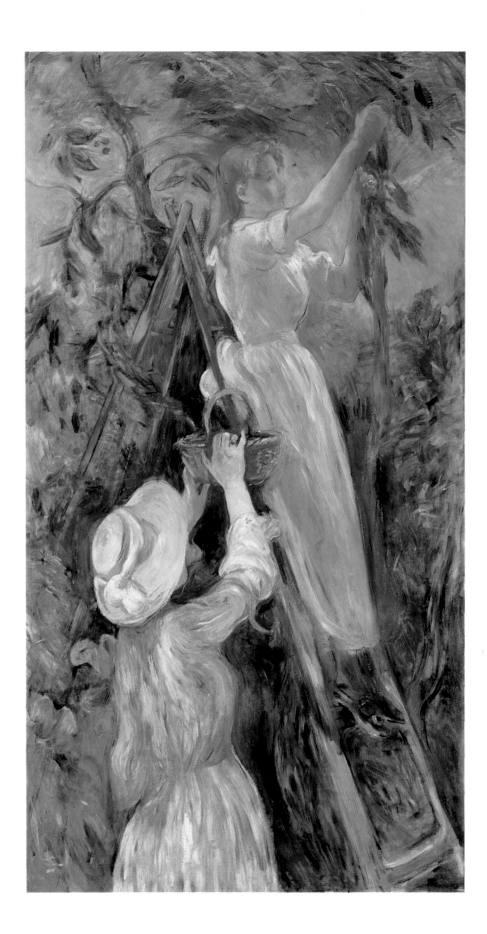

L'année 1874 fut décisive
dans l'existence de Berthe
Morisot : elle fut d'abord
très affligée par la mort
de son père. Se réfugiant
dans le travail, c'est
au printemps qu'elle prend
la décision d'abandonner
les salons officiels
pour rejoindre le jeune
groupe d'indépendants
qui vient de se former.
Sur l'invitation de Degas,
elle accepte de partager
les cimaises du grand
atelier de Nadar, participant
ainsi à la première
exposition impressionniste.
Le 22 décembre Berthe
Morisot épouse Eugène
Manet en l'église de Passy.
De cette union naîtra
en 1878 leur fille Julie.
Les figures masculines sont
très rares dans l'œuvre
de Berthe Morisot.
Elle représente pourtant
quelquefois son époux
en compagnie de sa fille
Julie comme dans *Eugène
Manet et sa fille dans
le jardin à Bougival* .
Julie sera son modèle
préféré, à tout âge, croquée
tant de fois dans ses carnets
de dessins, en intérieur
sur un divan, ou perchée
sur une échelle,
cueillant des cerises...

A gauche :
Berthe Morisot,
le Cerisier, 1891,
huile sur toile,
154 x 84 cm.

Ci-dessus :
Berthe Morisot,
*Eugène Manet et
sa fille dans le jardin
de Bougival*, 1881,
huile sur toile,
73 x 92 cm.

SEJOURS A NICE

La perspective de voyages plaisait beaucoup à Berthe Morisot. Elle et son époux s'évadaient souvent de Paris pour découvrir de nouveaux paysages et entreprendre de nouvelles peintures. La lumière du Midi, les vastes panoramas, la végétation exotique, l'atmosphère chaude et colorée attirèrent l'artiste à Nice, dans la vieille ville, où elle fit plusieurs séjours.

De Nice elle rapportera de nombreuses œuvres. Quelques marines, comme *le Port de Nice*, exécuté en 1882 d'une manière très affermie, d'une écriture presque brutale, dans une composition originale plaçant le motif dans la partie supérieure de la toile. Quel que soit le sujet, la matière, tout est prétexte à effet lumineux, à émotion. Par le pastel, et surtout l'aquarelle, Berthe Morisot saisira tant d'instants éphémères, jouant avec les clartés, les couleurs, et toujours en donnant des effets de transparence et de grande légèreté. L'historien d'art Claude Roger-Marx déclara : «Nulle part, Berthe Morisot n'apparaît plus personnelle, plus exquise, et jamais, ne se rencontra corrélation aussi étroite entre la qualité du procédé expéditif, instantané, et la nature même de l'artiste, toute du premier mouvement.»

A gauche en haut :
Berthe Morisot,
Aloès, villa Ratti,
1889, pastel,
31 x 45 cm.

A gauche en bas :
Berthe Morisot,
*la Montagne
du château,* 1888,
aquarelle,
24 x 31 cm.

Ci-contre :
Berthe Morisot,
le Port de Nice,
1882,
huile sur papier
marouflé sur toile,
53 x 43 cm.

RENSEIGNEMENTS PRATIQUES

Musée Marmottan Monet
2, rue Louis Boilly
75016 Paris
Tél : 01 44 96 50 33
Fax : 01 40 50 65 84
Site internet : www.marmottan.com
e-mail musée : marmottan@marmottan.com

Ouvert tous les jours de 10 h à 18 h, sauf
le lundi. Fermé les 1er mai et 25 décembre.
Fermeture des caisses à 17 h 30.
Réservations groupes, visites commentées
et parcours découverte enfants sur rendez-
vous au 01 44 96 50 33.
Librairie-Boutique accès libre,
e-mail boutique : boutique@marmottan.com
Métro : Muette, RER C : Boulainvilliers
Autobus : 22, 32, 52, 63, PC.

Remerciements :
Arnaud d'Hauterives, secrétaire perpétuel
de l'Académie des Beaux-Arts,
Jean-Marie Granier, directeur du Musée
Marmottan Monet,
Marianne Delafond, conservateur
du Musée Marmottan Monet,
Caroline Genet-Bondeville, conservateur-
adjoint du Musée Marmottan Monet,
et Mauricette Fallek à la fondation
Wildenstein.

BIBLIOGRAPHIE

Adler Kathleen et Garb Tamar, *Berthe Morisot*, Oxford, Phaidon, 1987.

Angoulvent Monique, *Berthe Morisot*, Paris, Albert Morancé, 1933.

Bataille Marie-Louise et Wildenstein Georges, *Berthe Morisot*, catalogue des peintures, pastels et aquarelles, Paris, les Beaux-Arts, 1961.

Berhaut Marie, *la Vie et l'œuvre de Gustave Caillebotte*, Paris, Wildenstein, 1951.

Daulte François, *Auguste Renoir, catalogue raisonné de l'œuvre peint, I Figures 1860-1890, II Figures 1891-1905*, Lausanne, Durand-Ruel, 1971-1977.

Daulte François et Richebé Claude, catalogue, *Monet et ses amis*, Paris, musée Marmottan, 1977.

Delafond Marianne et Genet-Bondeville Caroline, *Berthe Morisot ou l'audace raisonnée*, fondation Denis et Annie Rouart, Paris, musée Marmottan, 1977.

Harambourg Lydia, *Dictionnaire des peintres paysagistes français au XIXe siècle*, Neuchâtel, Ides et Calendes, 1985.

Higonnet Anne, *Berthe Morisot, une biographie*, Paris, Adam Biro, 1989.

Huisman Philippe, *Morisot*, Lausanne, Bibliothèque des Arts, Polychrome, 1995.

Lefuel Hector, *Catalogue du musée Marmottan*, Paris, 1934.

Monneret Sophie, *l'Impressionnisme et son époque*, 4 volumes, Paris Denoël, 1978-1981.

Rouart Denis et Rey Jean-Dominique, *Monet, Nymphéas*, Paris, Hazan, 1972.

Rouart Denis et Wildenstein Daniel, *Manet*, catalogue raisonné, 2 volumes, Lausanne et Paris, Bibliothèque des arts, 1975.

Rouart Denis, *Correspondance de Berthe Morisot avec sa famille et ses amis*, Paris, Quatre Chemins, 1950.

Manet Julie, *Journal*, 1893-1899, Paris, Klincksieck, 1979.

Wildenstein Daniel, *Claude Monet*, biographie et catalogue raisonné, 5 tomes, Lausanne, Bibliothèque des arts, 1974-1986.

Les Hors-Série Beaux Arts magazine sont édités par Beaux Arts SA.

Président-Directeur général :
Charles-Henri Flammarion.
Directeur de la publication :
Jean-Christophe Delpierre.
Directeur de la rédaction :
Fabrice Bousteau,
assisté de Catherine Joyeux.
Rédacteur en chef adjoint :
Mickaël Faure,
assisté de Laurence Castany.
**Conception hors-série
Marmottan Monet :**
Caroline Lesage.
Maquettistes :
Claire Luxey,
Fabrice Crélerot
et Delphine Cormier.
Iconographe :
Agnès Cuchet.
Secrétaires de rédaction :
Isabelle Arson,
Maryse Charlot
et Vincent Bernière.
Traduction anglaise :
Lisa Davidson.
**Directeur de la création
et de la fabrication :**
Alain Alliez,
assisté de Marie-France Wolfsperger.
Diffusion :
Manon Courbez.
Tél. : 01 56 54 12 32.
Marketing :
Isabelle Canals-Noël.
Tél. : 01 56 54 12 35.
Fax : 01 45 38 30 61.

Beaux Arts magazine,
33, avenue du Maine,
75755 Paris cedex 15.
Tél. : 01 56 54 12 34.
Fax : 01 45 38 30 01.
RCS Paris B 404 332 942.
Commission paritaire 65094.
ISSN : 0757-2271.
Dépôt légal : avril 2001.
Impression : Berger-Levrault à Toul,
France.

Toutes photos :
Alban Couturier
sauf mention contraire.
© Giraudon pour les photos des pages 27, 33, 39, 40-41, 43, 50, 54-55, 56 et de 65 à 73.